我家的垃圾去哪儿了

WO JIA DE LAJI QU NAR LE

[土] 西玛·奥兹坎 著　[土] 奥罕·阿塔 绘
宋 汐 译

接力出版社
Publishing House

我叫丹尼斯！我住在一个小镇上，镇上每条道路都通向海边。我家就在蓝色大道，“瓶底儿”街的“无废弃物”公寓。我从家骑自行车 10 分钟就可以到学校。

一天清晨，我和往常一样骑车去上学。故事就开始于我从自行车上摔下来的那一刻。

我刚进学校大门，一只海鸥突然向我飞过来。它正在用力地把头甩来甩去，试图摆脱头上的塑料袋。

我赶紧扭转车头以免撞到它，但此时的我已经来不及刹车了。我摔倒了，书包和自行车也都摔在地上。书包里的东西滚落到一个陌生女孩身前。女孩捡起我的三明治、饼干和饮料，递给我。正当我要向她表示感谢时，她却沉着脸走开了。

新学期的第一天，就是这么奇怪！

我再次见到她时，发现她是我的新同桌。

“大家相互认识一下吧。”老师把一个球扔给了我的新同桌，“尼尔，你先来自我介绍一下，好吗？”

自我介绍的游戏刚结束，下课铃就响了。课间休息时，我拿出我的饮料瓶，尼尔拿出了她的玻璃水壶。我的饮料喝完了，便把瓶子扔进了垃圾桶，又去用纸杯接饮水机里的水喝。尼尔皱着眉头瞥了我一眼。我到底哪里招惹尼尔了？

老师让我们用绘画的方式来讲一讲暑假的生活，然后与同学们分享。尽管这让我再次想起愉快的暑假已经结束，感到有点沮丧，但开始使用一本崭新的图画本感觉真是棒极了！我扭头发现尼尔的图画本是一个几乎快用完的旧本子。她翻页的时候，我看到图画本的正面、反面都被使用过。

“新学期了，你为什么带了一个旧的图画本？”我问尼尔。

尼尔笑着说：“因为这里面还有一些画纸没用完呀！”

而我，从来不会等笔记本、图画本用完才换一本新的。

轮到尼尔分享她的暑假生活了。我发现，她把画纸分成了5部分，画了5幅不同的画。她甚至把画纸的每个角落都画满了，就连背面也是。

“这个暑假，我们想让地球像我们的家一样干净。为了实现这个目标，我们开始进行消除生活中‘5大废弃物’的行动。我与大家分享一下我们是如何做到的，我画了‘5大废弃物’的图画展示给大家。”尼尔说。

“‘5大废弃物’到底是什么呢？”我们好奇地看着老师，而老师正带着同样的表情看着尼尔。

尼尔开始兴奋地解释："我们在初夏时搬到这个小镇。我在家的任务是倒垃圾。每天家里的垃圾有很多，而垃圾桶在街道的另一头。我每天拎着重重的垃圾袋走到那里后感觉很累。有一天我忍不住问妈妈'这么多垃圾从哪里来？它们会被送到哪里去？'于是，妈妈把我带到了小镇的垃圾填埋场。"尼尔继续说，"当然了，在那里我是无法从巨大的垃圾堆里分辨出哪些垃圾是来自我家的。"

"一些垃圾袋破了，里面的垃圾撒得到处都是，还有一些被风吹到了别的地方。就算只有30个垃圾袋堆在一起，也堆得像一座小山一样高。我们搬到这个小镇30天了，30天里扔掉了30个这样的垃圾袋。所以，这巨大的垃圾山是我们自己造成的。"

“那天回到家后，爸爸、妈妈、我和弟弟开始仔细检查我们到底往垃圾箱里扔了什么。第一步，我们要和‘5大废弃物’说再见。”

“‘5 大废弃物’是什么呢？”爱丽丝问道。她是我们班里好奇心最强的同学。为了回答这个问题，尼尔举起手中的画，向我们展示这 5 种废弃物。

“比起把这‘5大废弃物’扔进垃圾桶，我更想下决心让它们从我们的生活中彻底消失。开始时肯定是很困难的，但几天后我们成功了。这之后的一周里，我家的垃圾桶里只有一点点的垃圾了。”

“如果你们不往垃圾桶里扔垃圾，那垃圾怎么处理掉呢？”亚斯明惊奇地问道。

“我们尽量不产生垃圾。严格遵守这5个步骤就可以做到。”尼尔开始用她的画来解释每个步骤。

不需要的东西就拒绝购买或者**少买**。

必需品的购买也可减少数量。购买之前想一想家中是否已有**替代品**。

重复使用不得不购买或者不能减少的东西。这叫作**循环利用**。

把厨余垃圾进行**堆肥**，产生的肥料能长期滋养土壤。

如果以上4个步骤都不可行，那就开启**资源分类回收**这一步骤，这是最后才考虑的。

拒绝购买
垃圾减量
厨余堆肥
重复使用
分类回收

尼尔走到垃圾桶旁，把手伸进去捡垃圾，大家丝毫没有为此感到恶心。第一件被捡出来的垃圾是塑料瓶，一共有7个。还捡出来12个封口塑料袋、2个饼干包装、18块纸巾、5个锡纸膜、5个果汁盒，还有5个和塑料包装粘在一起的吸管。另外，还捡出来3张画纸（还有一面是空白的）和1个破气球。

“一些过着零废弃生活的家庭，一年产生的垃圾只用一个玻璃罐就够装了。你们相信吗？”尼尔说。

“怎么可能？”每个人都发出了惊叹的声音。如果我们班里的每个人都可以做到垃圾减量，那么学校和同学们家里的垃圾问题就一定可以改善。

“你怎么处理吃过的饼干包装呢？”阿尔伯问。

全班同学都好奇地看着尼尔。她把自己的书包拿过来，向同学们展示里面的东西：玻璃水壶、装满自制曲奇饼干的小罐子、布袋子，还有一个用手绢包裹的苹果。

“放学后，我和爸爸去面包房买面包，我们用自己的小布袋装面包，而不是用塑料袋。爸爸买的咖啡会倒在自带的保温杯中。他一整天都在用自己的杯子，不用一次性的纸杯。”

“准备这些每天必备的东西，你不觉得麻烦吗？”我问道，“我想你的书包一定比我们的重吧？”

“开始的几天我确实觉得有点麻烦，但很快就适应了。甚至，我开始喜欢上做这些事情了。”

“其他的食物你用什么装呢？”我又好奇地问道。

“我们一家去菜市场和超市购买东西的时候，会带上布袋子。”尼尔说，“苹果、西红柿、薄荷、青菜、南瓜，这些菜都可以放在布袋子里。豆子、大米、豌豆等我们用枕套做的小袋子装。回到家后，再把它们分别放在罐子里。我的爸爸妈妈出门时一定会带上布袋子，它们很轻，随身携带并不觉得累。”

1.第一周
星期一
12个塑料杯子
10个塑料袋
3个果汁盒
8个塑料瓶
15个包装袋
星期二
6个塑料杯子
4个塑料袋
4个果汁盒
5个塑料瓶
9个包装袋
星期
8个塑料杯子
5个塑料袋
2个果汁盒
3个塑料瓶
7个包装袋
四
4个塑料杯子
2个塑料袋
3个果汁盒
4个塑料瓶
2个包装袋
星期五
2个塑料杯子
1个塑料袋
1个果汁盒
1个塑料瓶
垃圾桶

第二天上课时，老师先感谢尼尔给大家带来了这么好的分享，然后说道：“我有一个想法。我们把每天扔掉的垃圾的种类和数量记录下来，这样我们就可以知道我们在学校产生的垃圾有哪些，就可以想办法做垃圾减量啦！”

老师在垃圾桶旁边的墙上贴了一张很大的纸。

“同学们，从今天起，你们扔垃圾时要在这张纸上做好记录。看看咱们班是否可以减少垃圾的产生。或许有一天，我们一个月产生的垃圾只用一个玻璃罐就够装。”

接下来，一天又一天，一周又一周……我们做着记录……

春天来了，老师也带来了一个好消息。

“我想到另一个会让大家开心的活动了！现在天气暖和了，我们可以搞几次户外教学活动。”

“太好啦！”我们异口同声地说。

“我们班所有的同学都了解如何在家中和学校做到零废弃生活了。我们为什么不把经验与其他班级分享呢？我们把好的方法画在学校的宣传栏里怎么样？大家把家中不用的颜料都拿来，我们一起画一面巨大的推广零废弃生活的海报墙。”

于是，我们带着颜料来到学校的宣传墙前，开始着手画海报。

大家一起零废弃
零废弃是什么？
注意！
废弃物
这是5大废弃物
我们能做什么？
自带水杯
自己种植蔬菜
如何进行堆肥？
减少？
种子种植
超简单！
动手，改造。
包袱布的艺术
一个玻璃罐装下我所有的垃圾

绿色生活12步

（在家和在学校都可以做到的绿色措施）

1 去菜市场、超市不再使用塑料袋，请带上布袋子、网兜、玻璃罐吧。

2 洗手用香皂，不使用一次性湿纸巾。擦手用毛巾，拒绝使用纸巾。

3 野餐时不使用一次性的塑料盘子、刀叉、勺子等，带上自家的餐具吧。

4 喝水使用玻璃杯、金属杯、保温瓶，不再购买瓶装水。

5 拒绝不可重复使用的冰袋、密封袋、锡纸袋，选择可反复使用的食品盒、食品袋、布袋子。

6 请尽量购买不含塑料微珠的沐浴液、香皂、洗面奶、牙膏。因为如果这些塑料微珠随污水流入河中，从而被动物误食，会使动物体内累积下不可消化的塑料。

7 用厨余垃圾做堆肥吧（比如不能再食用的水果、蔬菜），而不是直接把它们扔进垃圾桶。我们日常生活中三分之一的垃圾都是可用于堆肥的厨余垃圾，它们将变成纯天然的肥料。

与总是购买新玩具相比，举行跳蚤市场与朋友们交换玩具是一种更好的方式。或者把损坏的玩具修好，继续玩。**8**

9 纸张双面使用，用完笔记本里的每一页。在书包和铅笔盒坏掉之前，不必买新的。挑选质量好的文具，这样你就不用每年都购买新的啦！

多吃水果和坚果，少吃有包装袋的零食。家中自制饼干和蛋糕，又好吃又环保。真正的美食不需要过多的包装。**10**

11 减少消费，只买真正需要的东西。因为大部分商品都有塑料包装，而这些包装中只有很少的一部分可以回收处理后再利用。尽量不使用塑料材质的文具。

减少食品浪费，吃多少买多少。尽量要做到“光盘”。**12**

气候变化
俱乐部
周四
15:3

这一学年终于要结束了，时间过得好快。我们班制作的“零废弃”海报就在学校小操场的墙上，它影响了整个学校。

“如此短的时间内，我们几乎把垃圾量降低到了零。”老师说，“我要感谢每位同学的努力，特别是尼尔。”

现在，我们全班都用自己带的水杯喝水了，喝完了就去班里的饮水机接水。而且，我们把应季的水果当每日的零食，吃得更健康啦！我们还会把水果皮扔到学校后院的堆肥箱里。堆肥产生的天然肥料正在滋养学校花坛里的花朵。这些宝贵的营养物质就不会被垃圾车运到填埋场白白浪费掉了。

现在，放假了。我们努力减少垃圾，开始绿色生活，这是在向地球表达爱。我们尊重与我们一起共享这个地球的所有生命，我们正在肩负起保护地球的责任。

但是垃圾依然遍及整个世界，我们任重而道远。我，丹尼斯，会尽我所能解决这个问题。

我要好好照顾我们赖以生存的星球，保护我们的水资源，保护鱼儿生存的大海、人类耕种的土地、濒临灭绝的动物。我也要关注全球的气候问题，四季的平衡才能让我们体验自然界不一样的美。

你也能零废弃！

零废弃是我们能为自然创作的最美的歌曲之一。因为地球是我们唯一的家园，这首歌是为所有的生命而唱的。

零废弃生活是为保护自然而做的选择，也是为延续水、土壤和空气的完美秩序而相应做出的生活习惯的改变。

从学校和家里扔掉的垃圾最终填满了我们的河流、湖泊和海洋。它们危害着水里的生命，也会污染我们的饮用水。所以在我们嘴上说“哦，扔掉它们就好了。”以前，请三思而行。

零废弃并不仅仅意味着向垃圾桶里扔更少的垃圾，或者向可回收桶里扔更多的可变为资源的废品。零废弃首先追求的是减少垃圾进入我们的生活。因为分类回收也要消耗大量的自然资源和清洁用水。最好的方式是让垃圾的产生量变为零，然后分类回收那些不得不产生的垃圾。

零废弃意味着永远不使用一次性用品。

在实现垃圾减量目标的同时，你还能吃得更健康，省下不少钱。因为你不再吃过度包装和工业加工过的食品了。

或许你会想：如果我是唯一一个这样做的人，那会改变吗？1 总比 0 大，不是吗？设想，当你发动你的家人，你所有的朋友，整个班级，甚至全校同学与你一起行动，那么垃圾填埋场会减少掉多少座小山？我们是否会成为地球的负担，取决于我们现在的行动。

行动让孩子变强大

清晨 7:35，一名 7 岁的小男孩拎着一个小桶走在去往学校的路上。他会在 7:45 左右到达学校对面的一间绿色房子，把手里的小桶递给等在那里的一位叔叔。这是每天发生在北京一条普通街道上的一幕，小男孩是我的儿子，他手中的小桶里装着前一天我家的厨余垃圾，那位叔叔是市政厨余垃圾回收点的工作人员，每天 7:00–8:00 他会在这里收集附近居民的厨余垃圾。然后转运到市郊的堆肥场，经处理变成天然肥料，用于城市的绿化。

清晨的这一幕是一天中我家“零废弃”生活的开始，也是遵守“**3R**”原则的行动。“**3R**”代表三个以 **R** 开头的英文单词：资源回收（Recycle）、重复利用（Reuse）、源头减量（Reduce）。这样处理厨余垃圾的方式属于资源回收（Recycle）。

尼尔在“好营养”公寓后院、丹尼斯和同学们在学校做的零废弃活动，或许无法在中国的城市家庭中实现，但我们一定可以想到办法向“零废弃”生活努力。除了把厨余垃圾送至专门的回收点之外，还可以在家中放置小型的 EM 菌堆肥桶，大小如一个小垃圾桶，用 EM 菌加速厨余垃圾的分解，变成有营养的液体肥料，滋养家中的绿植。

中国的城市家庭中一半重量的垃圾为厨余垃圾（有些地方称为“湿垃圾”），将这部分垃圾变为肥料不仅可以有效地使资源再利用，还可以大大降低进入垃圾填埋场和焚烧厂的垃圾总量，减少排放于自然环境中的污染物。这就是“**3R**”原则中的资源回收（Recycle）。

我家中的纸张、塑料、金属、玻璃等可回收物也会由我的孩子负责放在一个纸箱里，其他垃圾另放一处。很多城市中现行的垃圾分类制度，可以最大程度让垃圾再次变为资源。这也是“**3R**”原则中的资源回收（Recycle）。

再来说说另一个 **R**，重复利用（Reuse）。《我家的垃圾去哪儿了》故事中的尼尔给了我们很好的主意：“与总是购买新玩具相比，举行跳蚤市场与朋友们交换玩具是一种更好的方式。或者把损坏的玩具修好，继续玩。”“请双面使用纸张，用完笔记本里的每一页。在书包和铅笔盒坏掉之前，不必买新的。挑选质量好的文具，这样你就不用每年都购买新的啦！”

最重要的一个 **R**，是源头减量（Reduce），就是要让《我家的垃圾去哪儿了》故事中的“5 大废弃物”（ 塑料袋、塑料瓶装水、一次性吸管、一次性纸杯和塑料杯、纸巾和湿巾）从生活中消失。其实做到这一点并不难，只需借助几宝：布袋、水壶、手绢、非一次性筷子。像尼尔一家，用可重复使用的、对自然无害的布袋子代替塑料袋，一年算下来一个家庭就可以减少很多塑料袋。

我们出门游玩时少买瓶装水，携带自己的水壶。使用饮水机喝水时也用自带的水杯，既时尚，又减少一次性纸杯的浪费。大部分的一次性纸杯是不可回收的。洗一次手就用一张纸巾太浪费了，带一块漂亮的小手绢来擦手或擦嘴也很不错。我们国家的一次性筷子使用量巨大，而它们也是不可回收的。带双自己喜欢的筷子出门用餐，既保护了森林，也减少了垃圾。一次性吸管在很多国家和地区的快餐店已经不再提供了，我们也可以考虑不使用它，或者带一支市场上已经可以买到的钢吸管也不错。

“3R”原则的顺序：

源头减量 Reduce ＞ 重复利用 Reuse ＞ 资源回收 Recycle

除此之外，《小蚯蚓的“垃圾”美食》和《我家的垃圾去哪儿了》还告诉了我们很多可以开始的行动。小读者们不妨先从 1—2 个可以做到的行动开始，让自己慢慢走向“零废弃”生活。

这两图画本书没有说教，也不是单纯的指导，而是让我们看到行动，也看到了行动的力量。丹尼斯说：“1 总比 0 大。”是的，行动的力量非常强大。我相信有一天，“零废弃”生活会成为一种时尚，现在的小读者们都将成为“环保达人”，肩负起对地球的责任。

《我家的垃圾去哪儿了》故事中用一个玻璃罐装下一年的垃圾“零废弃”达人确有此人，书中尼尔家的“零废弃”生活便是她的日常。她叫 Bea Johnson，出生于法国，婚后搬到了美国加利福尼亚州。起初，她和家人过的是典型的美国式生活，大房子、塞满的冰箱、超出需要的食品和包装。自 2008 年起，她开始了另一种截然不同的生活，一家四口每年产生的不可回收垃圾，竟只需要一个玻璃罐就能轻松装下，可谓无限接近于“零废弃”。这听上去好像不可思议，但的确切实可行，她的秘诀可以用 **5R** 来总结，即：

拒绝（Refuse）：拒绝不需要的物品，避免垃圾的产生。对一次性餐具、塑料吸管、免费赠品、宣传单，甚至是垃圾邮件，通通说不！

减少（Reduce）：减少你需要的物品。物品越少，烦恼越少，生活也会更简单愉快。

再利用（Reuse）：重复利用已有的物品，让你拥有的物品发挥最大的价值，如果东西坏了，也尽量修理，而非直接丢弃换个新的。

回收（Recycle）：回收利用那些不能拒绝、减少、再利用或修理的物品。

堆肥（Rot）：腐烂降解那些不能拒绝、减少、再利用、修理和回收的物品。腐烂的瓜果皮是最好的天然肥料。

桂图登字：20－2019－068

图书在版编目（CIP）数据

我家的垃圾去哪儿了 /（土）西玛·奥兹坎著；（土）奥罕·阿塔绘；宋汐译.—南宁：接力出版社，2020.6
（小小地球清洁师）
ISBN 978-7-5448-6643-9

Ⅰ.①我… Ⅱ.①西…②奥…③宋… Ⅲ.①垃圾处理－儿童读物 Ⅳ.①X705−49

中国版本图书馆CIP数据核字(2020)第058868号

责任编辑：朱丽丽　美术编辑：林奕薇　责任校对：杨　艳
责任监印：刘　冬　版权联络：金贤玲
社长：黄　俭　总编辑：白　冰
出版发行：接力出版社　社址：广西南宁市园湖南路9号　邮编：530022
电话：010-65546561（发行部）　传真：010-65545210（发行部）
http://www.jielibj.com　E-mail:jieli@jielibook.com
印制：北京尚唐印刷包装有限公司
开本：787毫米×1092毫米　1/16　印张：2.75　字数：30千字
版次：2020年6月第1版　印次：2020年6月第1次印刷
印数：0 001—6 000册　定价：36.00元